Une fée en danger

Novélisation : Sophie Marvaud
Hachette Livre, 43, quai de Grenelle, 75015 Paris.

Une fée en danger

hachette
JEUNESSE

Bloom

C'est moi, Bloom, qui te raconte les aventures des Winx. À l'université d'Alféa où j'ai été élève, j'ai découvert peu à peu ma véritable identité. Je suis la fille du roi et de la reine de la planète Domino, qui a été détruite par les Sorcières Ancestrales. C'est ma sœur aînée, la nymphe Daphnée, qui m'a sauvée. Elle a trouvé sur Terre des parents adoptifs aimants à qui me confier. Aujourd'hui, je possède le formidable pouvoir de la flamme du dragon. Alors je suis en première ligne pour défendre la dimension magique et ses différentes planètes. Heureusement que je peux compter sur mes amies fidèles et solidaires : les Winx !

Belle, mon mini-animal, est un agneau magique. Adorable, non ?

Kiko est mon lapin apprivoisé. Il n'a aucun pouvoir magique et pourtant, je l'adore.

Stella

Originaire de la planète Solaria, la fée de la lune et du soleil a une très grande confiance en elle. Un peu trop, parfois ! Heureusement qu'elle est aussi vive que drôle.

Ginger, son mini-animal, est un chiot magique.

Flora

Fée de la nature, douce et généreuse, elle est à l'écoute des plantes et elle sait leur parler. Cela nous sort de nombreux mauvais pas !

Coco, son mini-animal, est un chaton magique.

Tecna

Directe et droite, elle est d'une grande débrouillardise. Normal, elle est la fée des sciences et des inventions. Elle maîtrise toutes les technologies, auxquelles elle ajoute un zeste de magie.

Chicko, son mini-animal, est un poussin magique.

Musa

Orpheline, la fée de la musique est très sensible et pleine d'imagination. Face au danger, sa musique devient souvent une arme !

Pepe, son mini-animal, est un ourson magique.

Layla

Venue de la planète Andros, la fée des sports est particulièrement courageuse. Elle est très rapide et n'a vraiment peur de rien !

Milly, son mini-animal, est un lapin magique.

Roxy

Elle vit sur Terre. Nous ne la connaissons pas très bien, mais j'ai l'impression qu'elle a quelque chose de magique en elle…

Mme Faragonda

L'université des fées est dirigée par l'adorable Mme Faragonda.

Au royaume de Magix, un lieu hors du temps et de l'espace, la magie est quelque chose de normal. En plus d'Alféa, il y a la Fontaine Rouge, l'école des Spécialistes. Sans eux, la vie serait beaucoup moins intéressante…

Prince Sky

Droit et honnête, l'héritier du royaume d'Éraklyon sait mieux que personne recréer un esprit d'équipe chez les garçons. Son amour me donne confiance et m'aide à triompher des pires obstacles.

Brandon

Il est aussi charmant que dynamique et spontané. Pas étonnant que Stella craque pour lui.

Riven

Il apprend à maîtriser son impulsivité et son orgueil. Il voit beaucoup moins la vie en noir depuis que Musa s'intéresse à lui.

Timmy

Un jeune homme astucieux qui se passionne pour la technique.
Avec Tecna, forcément, ils se comprennent au quart de tour.

Hélia

Un artiste plein de sensibilité. Flora n'en revient pas, qu'un garçon pareil puisse exister.

Nobu

Il vient de la même planète que Layla, Andros. Ils ont eu du mal à se comprendre, au début, mais maintenant, ils sont inséparables.

Convoité par les forces du mal,
Magix est le lieu d'affrontements terribles.
Les quatre sorciers du Cercle Noir
menacent la Dimension Magique...
et la Terre !

Ogron

Il est le chef du Cercle Noir. C'est un sorcier tout-puissant, dangereux et cruel. Il hait les Winx.

Anagan

Ce prédateur ne rêve que de pouvoirs et de richesse.

Duman

Il peut se transformer en animal féroce à n'importe quel moment.

Gantlos

C'est un chasseur de fée qui aime détruire tout ce qui l'entoure.

Résumé des épisodes précédents

Enfin, nous avons du travail... Et pas n'importe lequel : nous avons ouvert un magasin d'animaux magiques ! Nos adorables peluches vivantes rencontrent beaucoup de succès. Grâce à elles, les enfants terriens commencent à croire de nouveau en la magie.

Nous restons pourtant sur nos gardes. Nous avons senti des ondes magiques à Gardenia. Cela veut sûrement dire que le Cercle Noir est arrivé dans la ville.

Chapitre 1

Onde magique au bar

C'est la fête au bar de la plage. Mes amies et moi sommes venues écouter Andy, mon ancien amoureux du lycée, devenu musicien. Le grand jeune homme au beau sourire chante devant le micro, accompagné de sa guitare et entouré de ses amis : Ryo, le batteur, et Marc, un autre guitariste. Tous les trois ont beaucoup de talent. La salle les applaudit avec enthousiasme.

À l'entracte, Musa saute sur la scène. Elle se précipite vers Marc, un garçon charmant avec une chevelure bouclée et des yeux clairs :

— Ton solo de guitare était trop génial ! Tu veux bien me l'apprendre ?

Le musicien passe la courroie de son instrument par-dessus la tête de Musa.

— Il n'est pas facile à jouer.

Montre-moi d'abord comment tu te débrouilles.

— Vas-y, Musa, t'es la meilleure ! lui crie Stella.

Enchantée de tenir une guitare entre les mains, notre amie se déchaîne. Son jeu est époustouflant. Marc, Ryo et Andy sont stupéfaits. Musa rend son instrument à Marc :

— Elle sonne bien, mais j'en ai connu de plus chouettes à Magix.

Le pauvre garçon en reste bouche bée.

— C'est quoi, Magix ? Un nouveau magasin ?

Pendant la pause, nous nous installons à une table du bar. Nous commandons des milk-shakes et des salades de fruits. C'est moi qui ai conseillé ces spécialités terriennes à mes amies.

— Je n'ai jamais rien mangé d'aussi bon sur Magix ! s'exclame Flora.

— Les fruits font partie de la magie de cette planète, dis-je.

Stella fait voltiger sa belle chevelure dorée.

— Il paraît que manger des fruits, ça embellit la peau et les cheveux. Magique, non ?

Elle appelle la jeune serveuse.

— Hep, mademoiselle ! Une deuxième tournée pour mes amies et moi, s'il vous plaît !

La jeune fille s'approche. Tiens, il s'agit de la brune aux yeux violets, avec un labrador, celle que nous avons croisée plusieurs fois lorsque nous poursuivions les ondes magiques...

L'entracte s'achève et Musa est appelée sur scène par Marc et Andy ! Au début, elle se fait un peu prier, mais elle accepte finalement de les rejoindre pour jouer avec eux.

Le succès est à son comble.

Soudain, je sens une onde magique ! Je sursaute et pousse un cri. Près de moi, Stella me lance un regard.

— Tu as senti la même chose que moi, Bloom ?

— Oui. Ça vient... du comptoir !

Nous nous retournons. Nous ne voyons que le propriétaire du bar, occupé à essuyer des verres, ainsi que deux clients qui nous tournent le dos.

— Mais les sorciers du Cercle Noir ne sont pas là !

— Si ce n'est pas eux qui produisent cette onde magique, dit Layla, ce ne peut être que la fée que nous recherchons. Mes amies, nous touchons au but : la dernière fée de la Terre se trouve dans cette pièce !

— Tu as raison ! Mais comment la repérer ? Il y a tellement de monde autour de nous !

— Attendons-la à la sortie, propose Tecna.

Chapitre 2

Ce que Bloom ne sait pas

Envoyés par Mme Faragonda, les Spécialistes sont eux aussi à Gardenia. Ils ont pour mission de protéger secrètement les Winx... Mais avec leurs uniformes de la Fontaine Rouge, il ne leur est pas facile de rester discrets.

Pour l'instant, ils découvrent la ville, ses grands immeubles, ses magasins, sa foule de passants. Et ce qu'ils voient leur paraît très ennuyeux en comparaison avec les planètes merveilleuses de Magix.

— Combien de temps allons-nous rester ici ? demande Riven en soupirant.

— Tant que les Winx auront besoin de nous, répond Sky. On doit se trouver un appartement à louer. Ça ne devrait pas être très difficile. N'oubliez pas que je suis le roi d'Éraklyon !

— Mais comment allons-nous

payer la location ? s'inquiète Timmy. La monnaie de Magix n'a aucune valeur, ici.

— Je n'ai pas envie de dormir sous un pont, proteste Brandon.

Le seul moyen d'avoir rapide-

ment de l’argent, c’est d’en emprunter. En échange, ils doivent laisser en gage le sceau d’Éraklyon, une bague magnifique qui prouve que Sky est le roi de cette planète. Les Terriens ne savent pas ce que c’est, heureusement !

Le prêteur, un homme très désagréable, leur explique :

— Vous avez un mois pour revenir la racheter, sinon, je la mettrai en vente.

Cet accord est plutôt inquiétant, mais les Spécialistes n’ont pas le choix…

Ensuite, après avoir loué un

appartement, ils reprennent leur filature des Winx. Le soir, ils suivent les fées jusqu'au bar de la plage, où se tient un concert de rock.

— Voilà qui va nous réconforter ! s'exclame Sky.

À l'intérieur du bar, ils s'installent à une table et cachent leur visage derrière leur menu.

Les fées ne doivent surtout pas les apercevoir ! Discrètement, ils observent leurs amoureuses...

À l'entracte, Riven se lève soudain, atrocement jaloux : Musa est entourée d'un peu trop près par Marc et Andy.

— Ils commencent à m'agacer, ceux-là !

— Calme-toi, Riven, lui dit Brandon. Tu vas nous faire remarquer.

— C'est normal que les filles fassent de nouvelles rencontres, ajoute Sky.

Mais voilà qu'Andy se dirige vers Bloom. Et qu'il l'embrasse sur la joue ! Sky se lève à son tour, furieux.

— Assieds-toi ! Tu vas tout gâcher ! s'énerve Brandon.

Sky réussit à se contrôler. Les Spécialistes se cachent de plus belle, en poussant de gros soupirs.

Ils n'ont d'yeux que pour leurs amoureuses et ne remarquent même pas la jeune serveuse brune aux yeux violets, qui est la fille du patron.

Son labrador est couché derrière le comptoir. Lorsqu'il se met à gémir, Klaus n'est pas content contre sa fille.

— Fais taire ton animal, Roxy !

La jeune fille s'agenouille derrière le bar. Elle caresse son chien et émet en même temps des ondes magiques apaisantes, sans s'en rendre compte. Quand Bloom et Stella perçoivent les ondes et balaient la pièce du regard, elles ne voient pas Roxy, dissimulée par le comptoir.

Chapitre 3

L'erreur du Cercle Noir

Le concert est terminé et le bar se vide peu à peu. Mes amies et moi guettons les gens qui sortent. Mais pour l'instant, aucun d'entre eux n'émet d'ondes magiques.

— Soyons très prudentes, fait

remarquer Flora. Si la jeune fille que nous cherchons ignore qu'elle est une fée, cette nouvelle pourrait la bouleverser.

— Laissez-moi lui annoncer, suggère Stella. Vous connaissez ma délicatesse...

— Justement, on la connaît trop bien, soupire Layla.

À cet instant, quelqu'un pousse un cri de terreur, un peu plus loin, sur le parking. Nous nous précipitons. Le Cercle Noir est là !

Les quatre sorciers entourent une jeune fille rousse, terrorisée. Vite ! Mes amies et moi

nous transformons en Enchantix.

Nous nous envolons, prêtes au combat. Pendant ce temps, un cercle de feu magique vient emprisonner la jeune fille.

— Mes compliments, chères

Winx, nous dit Ogron. Je savais qu'en vous suivant nous trouverions plus vite la dernière fée de la Terre.

— Qu'est-ce que vous me voulez? s'écrie la pauvre prisonnière.

Anagan lui lance un sort puissant. Elle disparaît à l'intérieur du vortex de lumière, l'appareil magique qui permet aux sorciers de dérober les pouvoirs des fées. Pendant ce temps, Gantlos et Duman nous immo-

bilisent avec leurs pouvoirs. Ogron triomphe :

— On a réussi ! La dernière fée de la Terre nous appartient !

— Attends, Ogron, il y a un problème, dit Anagan. Le vortex ne l'accepte pas !

En effet, la jeune fille rousse ressort du vortex de lumière, saine et sauve. Elle s'enfuit, tandis qu'Ogron s'en prend à nous :

— Maudites Winx, vous avez brouillé les pistes ! Où se trouve la fée ?

Nous ripostons en lui lançant nos sorts.

— Océan de lumière !

— Feu du dragon !

— Liane vigoureuse !

Mais nos pouvoirs magiques

n'ont aucun effet sur Ogron. Au contraire ! Ils ne font qu'augmenter ses forces. La terre s'ouvre soudain sous ses pieds, mais il ne s'agit que d'une ruse pour nous faire croire qu'il a disparu et nous attaquer par-derrière.

Anagan nous menace :

— Vous pouvez dire adieu à vos ailes, petites fées !

Malgré tout ce que j'ai appris à Alféa, je commence à paniquer. Ces sorciers sont vraiment invincibles ! Ils sont tout à fait capables de nous voler nos pouvoirs magiques à nous aussi !

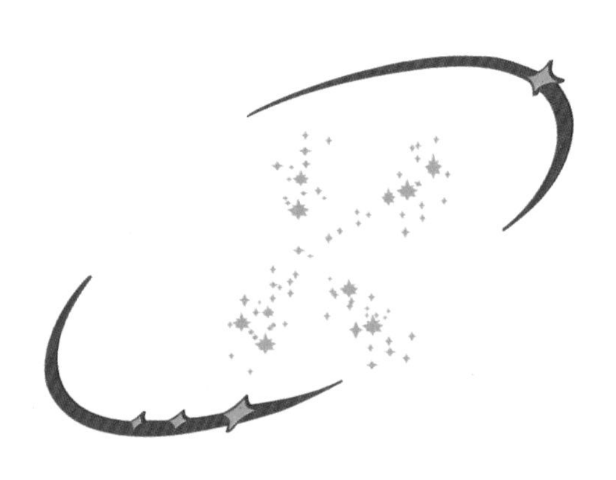

Chapitre 4

Une terrible dispute

Duman s'approche de Flora, prisonnière de ses propres lianes magiques. Les mains du sorcier se transforment en pattes griffues. Il va attraper les ailes de notre amie !

Il est arrêté par le lacet d'un

fouet qui s'enroule autour de son poignet.

— Laisse ma petite amie tranquille !

C'est Hélia ! Et les autres Spécialistes sont là, eux aussi !

Métamorphosé en loup, Duman se jette sur Hélia.

— Tu veux dire, ma petite amie !

Incroyable ! En une seconde, le sorcier s'est de nouveau transformé. Cette fois, il ressemble à Hélia comme deux gouttes d'eau ! Timmy, qui s'apprêtait à utiliser son pistolet magique, pousse un cri :

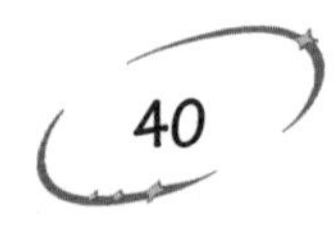

— Hélia, lequel des deux es-tu ?

— C'est moi ! Ne me tire pas dessus !

Timmy baisse son arme, mais ce Hélia-là se change de nouveau en loup. Et il bondit sur lui !

Nabu vole à son secours avec son sceptre magique, avant d'être attaqué à son tour par Anagan. Heureusement que Brandon réussit à s'interposer, brandissant son épée magique. Sky et Gantlos s'en mêlent eux aussi...

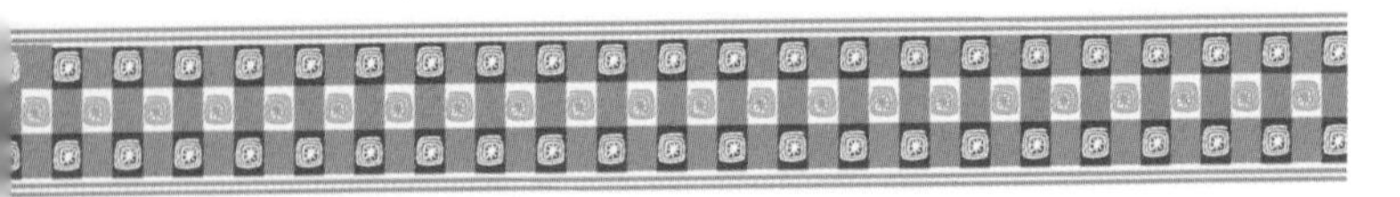

Finalement nous sommes de force égale, nos amis et nous d'un côté, nos ennemis de l'autre.

— Ça suffit ! hurle soudain Ogron à l'adresse des autres sorciers. Ce qui compte pour nous, c'est de retrouver la fée de la Terre. On perd notre temps, ici !

Il disparaît, aussitôt, suivi d'Anagan, Gantlos et Duman.

Mon amoureux me prend dans ses bras. Je suis encore toute tremblante de ce terrible combat.

— Bloom, mon amour !

— Sky ! Mais qu'est-ce que vous faites sur Terre ?

Le prince d'Éraklyon semble très embarrassé :

— Euh... En fait... Comment dire ? Vous nous manquiez tellement qu'on a voulu vous faire une petite surprise. Tu n'es pas contente de me voir ?

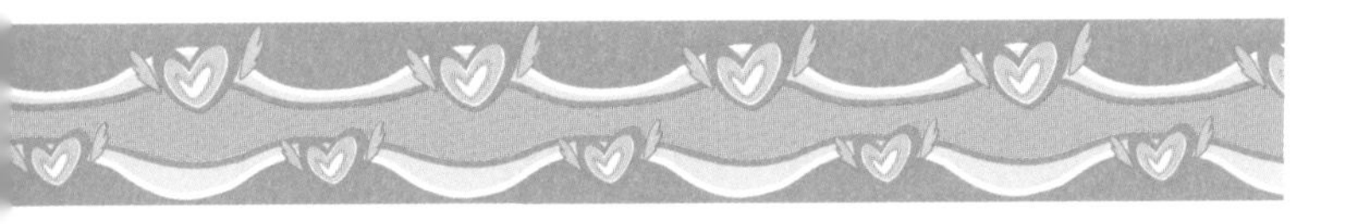

Mon amoureux ment très mal. Je m'écarte de lui et le regarde dans les yeux.

— Dis-moi la vérité, Sky.

— Écoute, Bloom. Il y a des moments dans la vie, où il faut savoir mettre sa fierté dans sa poche. Reconnais que vous aviez drôlement besoin d'aide face à ces sorciers.

D'un grand geste du bras, il désigne le parking dévasté par

le combat. Je sens la moutarde me monter au nez.

— Mais c'est notre mission ! Vous auriez dû nous demander notre avis avant d'intervenir !

— Tu crois qu'on a eu le temps ?

— La vérité, c'est que vous ne nous faites pas confiance.

Riven intervient :

— On avait confiance en vous jusqu'à ce qu'on vous voie avec ces garçons musiciens.

— Tu semblais très amie avec cet Andy, Bloom, avoue-le, insiste Sky.

J'explose de colère :

— Quoi ! Vous nous avez suivies au bar ? Mais ça fait combien de temps que vous nous espionnez ?

Les garçons baissent la tête ou regardent ailleurs.

— Je ne te croyais pas capa-

ble d'une chose pareille, Sky ! Je m'aperçois que je te connaissais bien mal !

Je lui tourne le dos, suivie par mes amies. J'entends la voix de Riven :

— Ne t'inquiète pas, Sky. Demain, elle aura tout oublié.

— Pas un mot de plus, Riven ! s'énerve le prince d'Éraklyon.

Un peu plus tard, de retour chez nous, je réalise qu'à cause de l'attaque, nous n'avons pas fait attention aux dernières personnes qui ont quitté le bar. Du coup, nous avons encore manqué la fée de la Terre.

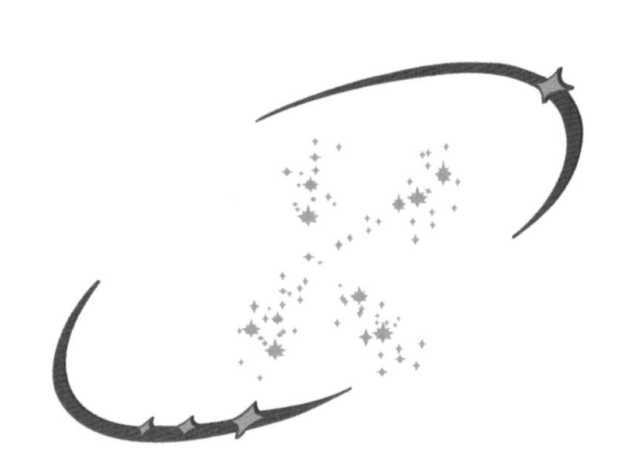

Chapitre 5

Ce que Bloom ne sait pas

Le lendemain matin, une flaque d'eau se forme sous l'enseigne des « Animaux magiques », juste devant l'entrée du magasin. Elle glisse sous la porte vitrée. Kiko la remarque et file chercher une serpillière et un seau. Mais lorsqu'il revient, la flaque s'est métamorphosée en jeune homme à l'air sinistre !

C'est Duman, le sorcier aux pouvoirs de transformation. Il se dépêche d'ouvrir à ses amis, Ogron, Anagan et Gantlos. Ce stratagème leur permet d'entrer dans le magasin en l'absence des Winx. Effrayé, Kiko se cache à l'intérieur du seau.

— Les fées sont comme des insectes, explique Ogron à ses compagnons. Elles sont difficiles à attraper et parfois elles peuvent nous piquer... Voilà

pourquoi nous devons nous débarrasser d'elles !

Les quatre sorciers s'accroupissent et tapotent le sol avec leurs doigts. Des ondes magiques puissantes entourent bientôt chacune des peluches vivantes.

Les petits animaux magiques se mettent à gémir.

— Regardez comme ils sont mignons, se moque Anagan.

Ogron ricane :

— Oui, ils sont gentils et affectueux. Enfin… tant qu'ils n'ont pas faim !

Et les quatre sorciers quittent le magasin, l'air fier et satisfait.

Au même moment, dans un immeuble de Magix, les Spécialistes viennent de terminer leur petit déjeuner. Brandon commence à lire le journal, Riven regarde par la baie vitrée,

Sky ouvre tous les tiroirs des meubles et Hélia fait un peu de gymnastique.

— Pas mal, cet appartement, dit Sky. Moins bien que mon château à Éraklyon, mais idéal pour un séjour de courte durée.

— J'en ai assez de rester à rien faire, proteste Riven. Je suis un Spécialiste, moi. J'ai besoin d'action.

Brandon lève la tête de son journal :

— Un peu de patience, Riven. Timmy ne va pas tarder à revenir. Si tu as besoin de bouger, apporte-moi donc un verre de jus d'orange.

Voilà justement Timmy, des paquets plein les bras.

— Regardez, les amis, ce que

je vous apporte : des vêtements de Terriens ! Avec ça, on va passer inaperçus.

Les garçons ouvrent les paquets et commencent à se changer.

— Tu es sûr que tu as pris la bonne taille ? s'inquiète Sky. Je flotte dans ce jean…

— Le vendeur m'a dit que c'était la mode.

— Eh bien, on ressemble aux Terriens. Voilà un souci de moins, dit Hélia. Maintenant, on doit trouver un moyen de gagner notre vie.

Sky l'approuve :

— Je dois racheter le sceau d'Éraklyon. Il n'est pas question que je reparte sur ma planète sans lui.

— Ah, là, là ! soupire Nabu. Si nos petites amies savaient tous les sacrifices qu'on fait pour elles… Elles regretteraient de nous avoir traités aussi mal hier soir !

— Et d'avoir sympathisé avec ces musiciens, grommelle Riven.

— J'ai trouvé ! s'écrie soudain Brandon.

Il montre à ses amis une petite annonce dans le journal.

— Un garage de Gardenia recherche des mécaniciens... C'est exactement ce qu'il nous faut ! À force de bricoler nos vaisseaux intersidéraux, on est devenus des experts.

— Tout à fait, dit Timmy. Et

les moteurs terrestres doivent être d'une banalité... Pour nous, ça va être un jeu d'enfant.

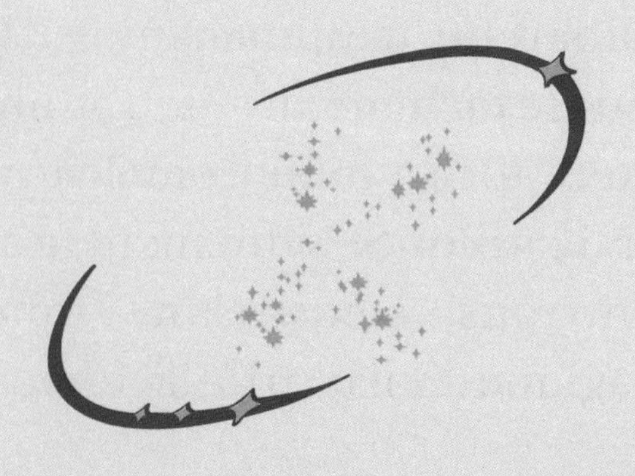

Chapitre 6

Le sortilège d'Ogron

Il fait un temps superbe. Mes amies et moi nous sommes levées tôt ce matin pour survoler la ville. Si seulement nous pouvions sentir une onde magique émise par la fée... Il faut à tout prix la retrouver avant le Cercle Noir !

Tecna sort son ordinateur magique.

— Soyez très attentives. Dès que vous avez repéré quelque chose, prévenez-moi.

— Tu devrais dire ça à Stella, lui fait remarquer Layla.

En effet, la fée du soleil et de la lune dort à moitié en volant. Pour elle, les nuits sont trop courtes sans grasses matinées ! Du coup, elle fonce dans le feuillage d'un arbre et en ressort au milieu des oiseaux affolés. Au moins, cette mésaventure la réveille !

Mais notre ronde n'a rien donné. Et il est temps de rentrer au magasin.

Dès l'ouverture, nous sommes prises dans un tourbillon. Les clients sont de plus en plus nombreux à vouloir adopter des ani-

maux magiques. Je les accueille et les guide, tandis que Stella nettoie les peluches vivantes, que Flora les nourrit, que Layla les entraîne à la gymnastique, Musa à la musique, et que Tecna s'occupe de notre site Internet.

Mes chers parents adoptifs viennent nous rendre visite et nous félicitent du succès de notre boutique. Je suis moins ravie de voir entrer Mitzie. Elle était avec moi au collège, et je ne l'aime pas du tout.

Elle ne peut pas s'empêcher de dire des méchancetés. Mais je serre les poings et ne réponds rien : c'est une cliente, elle aussi ! Elle repart d'ailleurs avec une peluche magique : un adorable petit chat blanc.

Soudain nos petits animaux se mettent à gémir et à gigoter dans tous les sens. Rien de grave : c'est

l'heure du biberon. Pourtant, Flora fronce les sourcils :

— Je les trouve bien nerveux…

Nous commençons à les prendre dans nos bras. Mais les gémissements deviennent des grognements ! Et nos adorables peluches se transforment tout à coup en horribles monstres !

— Je parie que c'est un sortilège d'Ogron ! dit Tecna.

Aussitôt, nous nous transformons en Enchantix.

— Ne leur faisons aucun mal ! s'écrie Flora.

— D'accord, mais il faut bien se défendre, dit Layla.

J'ouvre tout grand les portes du magasin.

— Laissons-les sortir ! Si les gens voient des monstres dans le magasin, ça va nous faire une mauvaise publicité.

Les peluches monstrueuses

s'envolent dans le ciel de Gardenia. Nous nous lançons à leur poursuite, tout en testant sur elles nos pouvoirs magiques. Mais aucun ne semble fonctionner.

Dans les rues, les gens lèvent la tête vers nous. Certains paniquent. Zut alors ! Les Terriens vont croire que les fées sont des créatures malfaisantes.

— Laisse-moi faire, Bloom, me dit Stella.

Elle se pose au milieu de la foule, qu'elle salue avec grâce.

— Bonjour à tous ! Ça vous plaît ? On tourne un film.

— Est-ce que vous recherchez des figurants ? demande une jeune fille.

— Possible. Allez voir le réalisateur. Rendez-vous au studio quand on aura terminé la prise.

Un homme s'exclame :

— Ces trucages sont formidables !

Satisfaite, Stella s'envole de nouveau vers nous.

Chapitre 7

Ce que Bloom ne sait pas

Les Spécialistes se présentent au garage de la petite annonce. Le patron est un homme barbu, vêtu d'une salopette pleine de taches.

— Vous allez être épaté par

nos compétences, lui annonce Sky.

Mais l'homme le regarde d'un air blasé en essuyant ses mains avec un vieux chiffon.

— Eh bien, montrez-moi ce que vous savez faire. Vous voyez cette voiture ? Son moteur ne fonctionne plus très bien. Je vous laisse le réparer.

Il leur désigne une très vieille voiture de sport de couleur rouge. Puis il s'éloigne pour s'occuper d'autres véhicules.

En forçant le capot, Brandon réussit à le soulever. Les Spécialistes contemplent l'inté-

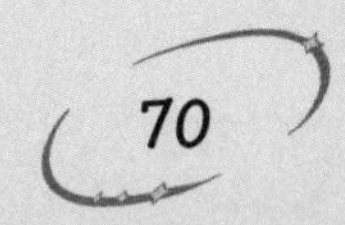

rieur du moteur, l'air perplexe.

— Je me demande où est le collecteur d'énergie, dit Hélia.

— On dirait qu'il manque aussi le phosphogénérateur à propulsion arrière, dit Brandon.

— Je ne sais pas par quoi commencer, avoue Sky. Cette opération s'avère plus compliquée que ce que je pensais…

Même Timmy finit par renoncer :

— Ce moteur est tellement simple que je ne comprends vraiment pas comment il peut marcher !

— Attendez, les gars, je vais utiliser mes pouvoirs magiques, propose Nabu. Mais je ne vous promets rien. Il faut que ce tas de ferraille supporte le choc.

Joignant les mains, il fait jaillir un sort réparateur qui se répand

autour de lui... Et enfin, le moteur se met en route.

À cet instant, Timmy tend le bras vers le ciel.

— Là ! Les Winx ! Elles pourchassent des monstres volants !

— Allons les aider ! décide Sky.

— Tu te souviens comment elles nous ont traités la dernière fois ? l'interroge Riven.

— Peu importe, rétorque Hélia. C'est nos petites amies et elles ont besoin de nous.

— Pas de soucis pour les rattraper, on peut emprunter cette voiture, dit Nabu. Je l'ai un peu améliorée.

Les Spécialistes sautent dans le véhicule. Sky se met au volant. Il fonce. Mais au premier obstacle, la voiture rouge s'envole à son tour !

Chapitre 8

La mission se complique

Sur le toit d'un immeuble, nous luttons contre les peluches monstrueuses. Un peu en retrait, Tecna pianote sur son ordinateur magique à la recherche du sortilège et de son remède.

— Si je ne le trouve pas très vite, ces monstres vont finir par nous dévorer !

— Tu as raison, Tecna ! Et si c'était ça, le problème ? Peut-être qu'ils ont faim, après tout ?

— Oui, on peut toujours essayer, dit Flora.

À cet instant, les Spécialistes surgissent, à bord d'une étrange voiture terrienne, capable de voler !

— Ne vous inquiétez pas, les filles, on arrive ! crie Brandon.

J'interpelle Sky.

— Vous venez parce qu'on vous manque ? Ou parce que

vous n'avez pas confiance en nous ?

Mon amoureux s'énerve :

— On est là pour vous protéger, Bloom ! Que ça te plaise ou non !

Il se tourne vers ses amis

qui ont sorti leurs armes magiques :

— Prêts à frapper, les gars ?

Horrifiée, Flora s'interpose.

— Ne les touchez pas ! Ce sont nos animaux magiques !

— Mais ils sont enragés ! proteste Riven.

— Le Cercle Noir leur a jeté un sort. Laissez-nous les guérir !

En rassemblant nos pouvoirs Enchantix, Layla, Musa, Stella et moi réussissons à regrouper les peluches monstrueuses. Flora fait alors apparaître une montagne de croquettes magiques selon la recette trouvée par

Tecna. Les monstres se jettent dessus... et aussitôt redeviennent les peluches tendres et affectueuses que nous connaissons. Quel soulagement!

Je me tourne vers les garçons.

— Vous voyez ! Il suffisait d'avoir un peu d'imagination.

Flora se frappe alors le front.

— Mitzie ! Elle est en danger ! Elle est partie avec une peluche juste avant la transformation. Il faut la retrouver le plus vite possible !

Nous montons tous dans la voiture que les Spécialistes ont transformée en camionnette. Sky nous prévient :

— Attention, bouclez vos ceintures ! Je fonce !

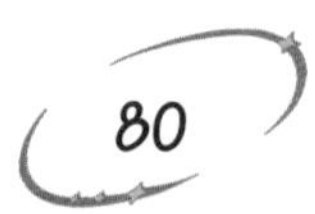

Quelle course ! La voiture survole les rues embouteillées, serpente entre les immeubles, et va même parfois à contresens. Sur cette Terre toujours encombrée, rien ne vaut une voiture volante. Le seul problème, c'est qu'une fois de plus, nous ne passons pas inaperçus.

Nous arrivons devant chez Mitzie au moment où elle s'apprête à sortir. La jeune fille transporte sa peluche vivante dans un panier qu'elle accroche à son scooter. Je cours vers elle.

— Salut, Mitzie ! Tout va bien

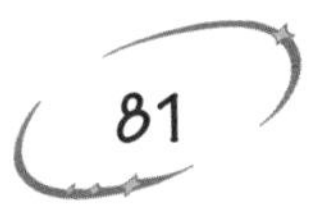

avec ton animal magique? Il doit subir un petit contrôle de santé...

Elle hausse les épaules.

— Je n'ai pas le temps. Mes amies sont impatientes de faire sa connaissance.

Mais le panier se met à trembler. Et le petit chat se transforme en monstre!

Mitzie se sent mal. Brandon se précipite pour la rattraper au moment où elle s'évanouit. Flora se hâte d'offrir des croquettes magiques au monstre. En les dévorant, il redevient une adorable peluche.

Dans les bras de Brandon, Mitzie rouvre les yeux. Elle le regarde avec adoration.

— Tu m'as sauvé la vie. Comment t'appelles-tu ?

— Euh… Brandon.

Il la dépose au sol mais elle se

jette à son cou pour l'embrasser. Stella se précipite sur elle, furieuse :

— Voleuse de petit ami ! Je vais te transformer en crapaud !

— Arrête, Stella ! Cette fille a eu la peur de sa vie, c'est tout.

Notre amie se retient, en serrant les poings. Sky s'approche de moi :

— Bon, les filles, j'imagine que vous n'avez plus besoin de nous.

— Exactement.

À voix basse, j'ajoute :

— Merci quand même pour votre aide.

J'aimerais lui demander pardon de m'être tellement fâchée l'autre soir, devant le bar. Mais je ne sais pas pourquoi, les mots restent coincés dans ma gorge. Pourtant, Sky me regarde. Il semble déçu de mon silence.

Les garçons nous saluent et montent dans leur voiture rouge. Celle-ci disparaît rapidement dans la circulation terrestre normale, dans le bon sens et sans voler, cette fois.

Mes amies et moi échangeons des regards ennuyés. Jamais nos amoureux ne nous ont dit au revoir avec une telle froideur. Pourvu qu'on se réconcilie très vite ! Notre mission sur Terre est déjà bien assez compliquée comme ça… Les sorciers du Cercle Noir ne cessent de rôder autour de nous et nous n'avons toujours pas trouvé la dernière fée de la Terre !

FIN

Bloom et ses amies sont prêtes pour de nouvelles aventures !

Dans le Winx Club 34 :

Le pouvoir du Believix

Les Winx ont découvert qui est la dernière fée sur Terre mais la jeune fille ne veut pas y croire jusqu'à ce que les sorciers du Cercle Noir la repèrent à leur tour… Investies d'un nouveau pouvoir, Bloom et ses amies s'engagent dans le combat contre les magiciens.

Tu connais tous les secrets des Winx ?

Retrouve toutes les histoires de tes fées préférées dans les livres précédents…

Saison 1

1. Les pouvoirs de Bloom

2. Bienvenue à Magix

3. L'université des fées

4. La voix de la nature

5. La Tour Nuage

6. Le rallye de la rose

Saison 2

7. Les mini-fées

8. Le mariage de Brandon

9. L'étrange Avalon

10. À la poursuite du Codex

11. Sur la planète du prince Sky

12. Que la fête continue !

13. Alliance impossible

14. Le village des mini-fées

15. Le pouvoir du Charmix

16. Le royaume de Darkar

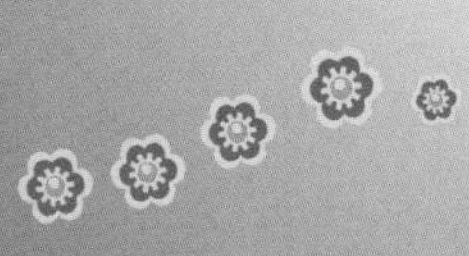

Saison 3

17. La marque de Valtor

18. Le Miroir de Vérité

19. La poussière de fée

20. L'arbre enchanté

21. Le sacrifice de Tecna

22. L'île aux dragons

23. Le mystère Ophir

24. La fiancée de Sky

25. Le prince ensorcelé

26. Le destin de Layla

27. Les trois sorcières

28. La magie noire

29. Le combat final

Saison 4

30. Les chasseurs de fées

31. Le secret des mini-fées

32. Les animaux magiques

Les aventures les plus magiques des Winx dans trois compilations !

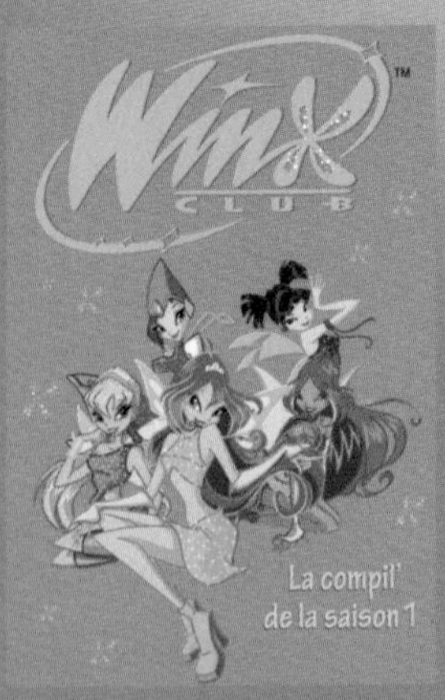

6 histoires magiques de la saison 1

6 histoires féeriques de la saison 2

6 histoires incroyables de la saison 3

Table

« Pour l'éditeur, le principe est d'utiliser des papiers composés de fibres naturelles, renouvelables, recyclables et fabriquées à partir de bois issus de forêts qui adoptent un système d'aménagement durable. En outre, l'éditeur attend de ses fournisseurs de papier qu'ils s'inscrivent dans une démarche de certification environnementale reconnue. »

Composition **Nord Compo** – Villeneuve-d'Ascq

Imprimé en France par Jean Lamour – Groupe Qualibris
Dépôt légal : juin 2010
20.20.2067.5/01– ISBN 978-2-01-202067-2
Loi n° 49-956 du 16 juillet 1949
sur les publications destinées à la jeunesse